佛經修持法

4

如何修持六祖壇經

【序言】生活即佛經，佛經即生活

每一部佛經都是佛陀為了導引眾生離苦得樂、去妄證覺而宣說的金言，也是諸佛如來的成佛心要。而每一部佛經也都因應著不同眾生的根器緣起，來指示大眾修證成佛的妙道。所以佛經成立的主旨，就是希望大家投入佛經之中，以佛經的智慧為智慧，以經中的生活為生活，來實踐「佛經化的生涯」，而不只是讀、誦、聞、思佛經而已。本套書即是基於「佛經即生活」、「生活即佛經」的見地，來解說佛教經典中的修行法要，使不同因緣的大眾，可以抉擇與自己有緣的經典，來圓滿成就佛道。

一般人讀誦佛經的時候，常都只是讀誦而已。本套《佛經修持法》出版的目的，不僅期望大家清楚地持誦經文的每一個字，更希望佛經的內容變成實踐實修的法門；讓每一部佛經都有次第可以修持，從見地上的建立，到道地上的修證，最後，證入佛經所描述的圓滿果地。

這樣的宣說，基本上是期望大家能把佛經實現在生活之中，亦即我們活在佛經之中，佛經活在我們之中；而這現起的世界，也就是經中的清淨世界。理想的佛法實現，是直接實現經論的世界，直接使這個世界成為佛經的淨土；一切人都是現前佛菩薩，一切語皆是佛語，一切行皆是佛行，而幻化空華的佛事，就是如幻的莊嚴現前。只要我們有深切的體認，願意精進不懈的實踐，一定可以達成這個目標，而現在就是開始！

目錄

如何修持六祖壇經

一、皈命頌

南無六祖惠能菩薩

南無六祖法寶壇經

南無禪門歷代祖師菩薩

菩薩自性自清淨　　隨用此心現成佛

一行無念慧智生　　性了圓覺會空明

皈命正智大覺經　　法寶壇施了無心

二、修持總頌

菩提自性本清淨　直用此心了成佛
大圓性頓無所住　生心無物無塵埃
最上乘法隨無念　定慧等持妙一行
無相為體圓本成　無念為宗大三昧
無住為本妙慧如　三學一心法爾覺
摩訶般若心中要　自性清淨果中圓
本不生滅自具足　性無動搖生萬法

識自本心現自性　自悟自解自圓成
大善知識示見性　摩訶般若心修證
自用智慧常觀照　若識自心成佛道
善知無念智慧觀　般若三昧本解脫
心無染著性無念　百物不思成法縛
坐禪不著心淨妄　心外諸境坐不著
內見自性禪不動　外離相禪內不亂
本性自定自清淨　定慧不二體用如
全定在慧全慧定　體用如如自金剛
無相懺悔法身者　三心無迷歸無相

無念妙行會法界　平等妙德見性功
念念無滯常自性　一行三昧一直心
隨緣教化金剛行　自性弘願自圓成
通身手眼無所住　妙用生心大菩提
三身自悟真皈依　自性三身現成佛
如如自性萬法現　現前清淨法身佛
念念圓明自見性　無二實性圓滿身
性本如空一念心　智慧自性化身佛
頓法圓妙佛同類　菩提清淨性宛然
法爾般若無念果　體相用如現成佛

三、《六祖壇經》修持法

㈠敘言

在中國，《六祖壇經》是一部非常具有特色的經典。一般而言，祖師的著作、法語幾乎沒有被稱為「經」的，而《六祖壇經》之流傳，正代表著對六祖的尊崇。現在的版本是由法海所輯的，而近來由於敦煌本的發現，引起了許多論戰。不過這對眾生開悟的內容而言，並無妨礙。

要講六祖壇經，應該和《金剛經》一起講。六祖是依《金剛經》開悟的，中國禪宗後來以《金剛經》為宗，與惠能有很大的關係。這兩本經的關係密切，我們甚至可以說《六祖壇經》是《金剛經》的實踐。我們聽聞、受持佛經，即是希望以一經來行一生，以佛經為我們一生修行的依歸。所以，以此觀點看來，《六祖壇經》便是六祖惠能大師在聽聞《金剛經》開悟之後，一生依《金剛經》而修持的記錄，《六祖壇經》正是《金剛經》的實踐本。

(二)《六祖壇經》的見地

1. 自性清淨

《六祖壇經》在見地上，最重要的就是經文中一開始所講的：「善知識！

菩提自性，本來清淨，但用此心，直了成佛。」這是以如來的清淨因地來實踐的一個法門。之所以會對菩提自性有充分的信心，乃是由果地上圓滿修持成就，而反觀其成佛的歷程，發覺眾生的菩提自性本來就是清淨的。惠能是從果地上，深刻地徹見因地的清淨性而圓滿。

但是對一般人而言，恐怕不能深刻地了知眾生污染之中的清淨佛性，在這裏，惠能大師開宗明義就是要告訴我們：眾生的菩提自性，本來即是清淨的，只要能了悟此，直接就成佛了；這可說是《六祖壇經》的根本見地。

經文接下來，是六祖在開悟的過程裏，與其他同學之間的差別。五祖希望有弟子能繼承他的衣鉢，一日叫喚所有門人前來，說了一段有血有淚的話：「吾向汝說：世人生死事大，汝等終日只求福田，不求出離生死苦海。」意即：

生死一期又一期地過去，你們下輩子要到哪裏去呢？要好好掌握此生啊！

「自性若迷，福何可救？」這句話說得多好啊！現代人比古代人更嚴重了，現代人修行哪裡是求脫離生死？都是在求人天福報而已！都是在跟別人比各自的師父行不行，哪有在比自己修行好不好！在說自己師父了不起的同時，同時也就是告訴別人：「你看，我的眼光多好！」這其實更增長了自己的我慢，實在可悲！大家千萬不要這樣，應該反觀自心，如五祖所言：「汝等各去自看智慧，取自本心般若之性，各作一偈，來呈吾看。若悟大意，付汝衣法，為第六代祖。」五祖開始要考試了。

於是大眾表現出了不堪為大根器的想法：「我等衆人，不須澄心用意作偈，將呈和尚，有何所益？神秀上座，現為教授師，必是他得，我輩謾作偈頌，枉用心力。」這真可悲，還沒有考試就退心了。其實重要的不是第六代祖師的位子，而是大家自身的境界到底到了什麼程度。然後他們又說：「我等已後，依止秀師，何煩作偈？」他們沒有想到，神秀走了以後要跟誰學？只有自己的心，才真正是自所依止的上師啊！只有大願，才是我們皈依的三寶。

神秀在這裡起了些障礙——不直心，雖他的學問好，但是被分別妄想限制住了見地。數度欲呈偈給和尚，總不成，呈偈給和尚，像是欲求六祖之位；不呈又不行，於是走來走去心神恍惚，很可憐。後來他決定在廊下寫出來，如果和尚說好，則禮拜；如果說不好，那麼「枉向山中數年，受人禮拜，更修何道？」在這裡可以看出神秀的得失心很重。他的偈這麼寫：「身是菩提樹，心如明鏡臺；時時勤拂拭，勿使惹塵埃。」這偈其實是很好，是次第修行的偈，但是並非從真實體性中出來的，是從外面慢慢磨入的，沒有回歸到清淨的因地。

惠能大師雖不識字，但聽人頌偈，亦前往探聽。在這裡展現了對眾生禮敬的重要性。惠能是一個不識字的鄉下人，他要寫偈，人家輕鄙地說：「你怎麼會寫偈？」惠能大師回答：「欲學無上菩提，不可輕於初學。下下人有上上智，上上人有沒意智；若輕人，即有無量無邊罪。」

在曹洞宗默照禪的修行裏，特重「不重久修，不輕初學」。又，福德因緣足夠的人，忽爾一念，發願修行，便登八地菩薩，勝卻他人百千萬劫的修行；龍女八歲成佛，正是最佳的說明。

惠能大師所作之偈曰：「菩提本無樹，明鏡亦非臺；本來無一物，何處惹塵埃。」這是直接由體性來的，是大境界、大氣魄的話。這是大菩薩的行持，到人間來度眾，也不怕弄溼、弄髒，這是很不起的。

可是在弘忍大師那個時代，就有了法諍，在那龍蛇雜處的環境裏，出現了惠能大師這等大人物，如果沒有保護好，就會很容易被殺害了，這是很可悲的。所以五祖見眾人驚怪，怕惠能受到傷害，就說：「亦未見性。」眾以為然。大家都只相信他人的話，不相信自己眼睛。

惠能大師從初聞《金剛經》開悟到現在，經過了一段時間的修行，在這段時間藉由舂米，也磨平了許多習氣，透露出本身的光芒，但是還沒有澈悟。第二天，當五祖到碓坊，見惠能「腰石舂米」。為什麼要身上綁著石頭呢？因為力量不夠，只好在腰部綁上石頭，以致腰都磨破了。五祖看了很感動，說：「求道之人，為法忘軀，當如是乎？」就問惠能米熟了沒有，惠能答曰：「米熟久矣，猶欠篩（師）在。」是夜，五祖即為說《金剛經》，到了「應無所住而生其心」，惠能便完全開悟，悟到一切萬法不離自性。便說：「何期自性本自清淨！何期自性本不生滅！何期自性本自具足！何期自性本無動搖！何期自性能生萬法！」

自性本是清淨的，這點大家要仔細看來。在修行的過程裏，還沒有到悟境的時候，會發覺心識裏有妄想客塵，不能澈見原來體性空寂；澈悟時，會發現原來體性空寂，而妄想分別根本是虛妄的。所有的分別法，都是妄心分別所生，但悟入之後，方知本不生滅，自性能具足萬法，根本不必他求，猶如虛空能含容一切，於是體悟到自性中一切具足，這是六祖所澈悟的。

五祖又說：「不識本心，學法無益。」這很重要，禪宗便是由因地的體性上學的、證的，若達本心，便是丈夫、天人師、佛。如果具足自性，一切隨緣消業，不造新殃，具足萬法，成就一切，由體上用功夫，倍勝於枝節中次第修行百千劫也。

2. 高高山頂立，深深海底行

六祖惠能大師幼年孤苦，父親早亡，在艱困的環境裏，以砍柴、賣柴來撫養老母。他與佛法的因緣是某日聽到一個客人讀誦經典，惠能大師一聽聞經語時，就初步開悟了。關於那本經的內容，有的版本說是《金剛經》的「應無所住而生其心」，有的則沒有寫；但可以肯定的是，這經語啟悟了惠能大師的菩提自性，使其初步開悟。依此因緣，他便到黃梅去參訪五祖弘忍。在這裏，我們可以看到一個真實求法者對法的真誠，這真誠的性質，亦是導引這求法者能不能成為一代人天導師的因緣：

當惠能禮拜五祖弘忍大師時，弘忍大師問他：

「汝何方人，欲求何物？」

惠能對曰：「弟子是嶺南新州百姓，遠來禮師，惟求作佛，不求餘物。」

這真是大師風範！我們在學習經典修持法的同時，也要學習佛菩薩的氣魄——大願、大行，要能「高高山頂立，深深海底行」。真正實踐是要一步步刻苦、踏實的實踐，在見地上要崇高，志願要遠大。

現在的人修行，若只於短暫的福報營營求取，是很可悲的，這不是佛法！佛陀教導我們的佛法是，一個修行人最起碼要以解脫為中心；若發更大願者，便是發大菩提心，惟求作佛，惟求一切眾生成佛。惠能大師便是有如此大氣魄。我們現在捫心自問：「我修行到底是為了什麼？」

菩薩道的行者，只有一個目標，就是使眾生成佛，使一切淨土莊嚴，自身也要圓成佛果。除此之外，再無別物。如果修行只是雜雜染染、枝枝節節的話，實在是可惜、可悲的。

但是這偉大的禪師在初見五祖時，當場接受一個勘驗：「汝是嶺南人，又是獦獠，若為堪作佛？」意思是說：你出生的地方文化並不高明，又怎能作佛呢？其實這是一句試驗的話。惠能在這裡就表現出了一代宗師的境界，在求法上不肯退卻：「人雖有南北，佛性本無南北，獦獠身與和尚不同，佛性有何差別？」

在此，我們要了知，我們的體性與諸佛並無差別，不要說：「唉！我業障重、我根器鈍，所以……。」這樣想的人是很可憐的。根器就是因為自認為鈍而變鈍了，業障重也是因為認為自己業障重而更加深，其實這些都是推託之辭，不肯為自己生命負責，所有的業障，以及不能開悟，都是這樣來的。我們修習《六祖壇經》，就是要學習六祖惠能，承認我們的佛性平等，千萬不要認為自己佛性比別人高或低。認為自己根器鈍，或者自以為佛性比別人高，這些都是妄想分別。

六祖在這裏顯現了初步開悟後的境界。初步開悟會有什麼現象呢？初步開悟的人，鋒芒畢露，就像天馬行空一般，如寶珠初現般，不能含輝，所以光芒四射。

五祖這時欲更傳教法，但見徒眾總在左右，於是令他隨眾作務。這時惠能說：「惠能啟和尚，弟子自心常生智慧，不離自性，即是福田。未審和尚教作何務？」六祖甚能了知空華佛事的妙用啊！五祖云：「這獦獠根性大利。汝更勿言，著槽廠去。」

這段讀起來雖然像個故事，但是我們由此可以看到：即使是像六祖這樣一個大根大行的人，他的生活卻是如此平實，他的發心、他對法之安立，以及五祖對他的磨鍊，都是如此平實無華。

六祖受法的經過，我們可以看出雖然他具足一切，但在世間中還是受到許多干擾，甚至他還被欲奪衣鉢者追殺。

也許有人會問：「向六祖求法都來不及了，為什麼會追殺他呢？」

這是世間法，世人求的是衣鉢，非為法。因為得到衣鉢之後，別人自然會承認他的法。爭奪衣鉢者視其與世間的官印、派令等同。

佛法在人間中行，要注意這個世間的因緣，與世間相應。「不依世間善信，佛法難成；不依世間國王、大臣，佛法難立」，這其實是很可悲的，但也是不得已的，這種作為是為了減少佛法傳佈的障礙，但是不該因此而壞法。世間的事務可以不必太計較，但法不能壞，這點要分別清楚，否則常常會有「法愈大，障礙愈大」的情形。

許多人常常以世間的成就及世間是否平和來檢驗佛法，這是不對的。譬如有人說：「有阿羅漢在世，就沒有兵災」、「有佛的地方，一切為吉祥」，事實上，這都是一種善願而已，世間的平安與否是屬於世間法，不能作為印證佛法的標準，除非這位佛菩薩發願出世於清淨和平的國土。釋迦牟尼佛在世時也曾背痛，年老時是因為食物中毒而示現涅槃；龍樹菩薩經人祈請入滅，他就斷頭入滅；提婆菩薩是被人暗殺，穿腸而死；目犍連雖然神通第一，卻被亂棒打死。難道我們能因此判定他們修行不夠嗎？所以，如果我們不能清楚地了知甚深的因緣關係，而單從外相上來看世間法與出世間法，那麼佛法在很多方面就會令許多人失望。

這些聖者的遭遇似乎比一般人慘，但不同的是：他們不壞世間的因緣；其次，他們清楚了知這是自己的業緣，所以能自在入滅。再偉大的佛菩薩，過去總有許多因緣業力，而因緣業力是絕對不會毀壞的，就算是十地菩薩，甚至是佛，也還是有的。就像《金剛經》裏講的，由於誦持《金剛經》而被辱罵者，其本來先世罪業更重的，但這世重業輕報，只是受人辱罵而已。

這些遭遇是各人的業緣，在娑婆世界是很正常的。密勒日巴大師有很多業因業緣，否則也不會歷經那麼多苦難與折熬。有些人一修行，很多業障就現前了；其實這是一種莊嚴，死亡、疾病、被辱罵，都是在表現佛法的莊嚴。佛法的重點不是只保佑世人事業成功、家庭幸福的，而是促使我們與修行的因緣相應。

我們再回到前面五祖授衣鉢與六祖惠能之後，六祖遭遇到欲奪取衣鉢者的追趕。而欲搶奪衣鉢的人之中，有一個叫做惠明，他找到了惠能大師，要與他爭衣鉢，惠能把衣鉢丟在石上，說：「此衣表信，可力爭耶？」惠明是有善根的，本來要傷害惠能大師，但由於惠能大師的善因緣，讓惠明成就了。

惠明要拿衣缽，但怎麼都拿不起來，就大呼：「行者！行者！我為法來，不為衣來。」且不論他初始的惡意，這時候他已經放下了。便向惠能作禮說：「望行者為我說法。」惠能說：「汝既為法而來，可屏息諸緣，勿生一念，吾為汝說。」這授法因緣很好，謂你既為法來，心就不要再攀附諸緣了。這是叫惠明心先放鬆，不再染著而形成初步的定境。惠能說：「不思善，不思惡，正與麼時，那箇是明上座本來面目？」他先引導惠明產生剎那定境，然後再予以指示，惠明言下大悟。

但是惠明還有疑惑：「除了以上的密語、密意之外，是否還有其他更深奧的密意呢？」惠能說回答：「告訴你了就不是秘密，你如果返觀自心，秘密就在你心中。」

各位，密意是不是在你那邊呢？從來也沒有離開過！

3. 不二之法

惠能後來到曹溪，又被惡人尋逐，到了四會，避難於獵人隊中，歷十五年。這時他在隨緣消舊業，也在斷除自己習氣——大悟之後還是有習氣在的。直到他一日思惟，應當是弘法之時，才離開山中。這時，才有了風動、旛動的故事。

以下是印宗與惠能大師的對答，這是本經中很重要的一個見地。印宗問：「黃梅付囑，如何指授？」惠能回答：「指授即無，惟論見性，不論禪定、解脫。」

各位不要被這句話嚇壞了，為什麼不論禪定、解脫？禪定、解脫二法，不是佛法的不二之法嗎？他的意思是說禪定、解脫是次第法，是真、俗二諦相對待的法，而見性的法是見性之後，一切都是現前的，本來如是。

六祖說：「禪定、解脫是二法，不是佛法，佛法是不二之法。」這是指禪定、解脫二法，是從俗諦到真諦，而六祖澈悟了不二的體性，是本解脫，他離於解脫與不解脫，離於真、俗二諦的差別，而入於最上乘──佛境。

宗又問：「如何是佛法不二之法？」惠能曰：「法師講《涅槃經》，明佛性是佛法不二之法。如高貴德王菩薩白佛言：『犯四重禁，作五逆罪，及一闡提等，當斷善根佛性否？』佛言：『善根有二：一者常，二者無常。佛性非常非無常，是故不斷，名為不二。一者善，二者不善，佛性非善非不善，是名不二。蘊之與界，凡夫見二；智者了達，其性無二。無二之性，即是佛性。』」

惠能大師雖不識字，但他的悟境是與經相合的，所以他聞人講經，便能為人講經。他必是聽過印宗講《涅槃經》，所以才會舉此例為其解說。對一個悟者來說，隨拈一處即是佛法，處處皆可言佛法。惠能大師扣準了這「不二」。清淨的自性為貫穿整個《六祖壇經》的見地，這見地的根本是在「應無所住而生其心」。這心是自由、活潑、真實無住的，無住生心，生心無住，亦貫穿了本經。

4. 頓悟法門

「善知識！我於忍和尚處，一聞言下便悟，頓見真如本性，是以將此教法流行，令學道者頓悟菩提，各自觀心，自見本性。」頓悟法門，就是一悟即超、一悟即頓。

「一聞言下便悟，頓見真如本性」是「見」，不是「得」；本自具有，何必為「得」呢？所以「各自觀心」，觀者，觀自心也，自見本性也，不是觀外心，是自觀自心；心自觀心，無心可觀，亦無心能觀，這兩者不二。

「若自不悟，須覓大善知識，解最上乘法者，直示正路。是善知識有大因緣，所謂化導令得見性，一切善法，因善知識能發起故。三世諸佛，十二部經，在人性中本自具有，不能自悟，須求善知識指示方見。」所以要恭敬供養大善知識。

各位，三世諸佛、十二部經在心的什麼地方？它是什麼內容？大家了解嗎？不要以為別有個「三世諸佛，十二部經」，它是無住、無二的境界，所以我們自見自性之後，能澈悟了知一切諸佛、一切諸經之一切現前，是隨拈即有，這才是「三世諸佛，十二部經，在人性中本自具有。」就像六祖惠能大師，人家講《法華經》給他聽，他就能為其講解《法華經》；跟他講《涅槃經》，他就可以為其講解《涅槃經》；跟他講《金剛經》，他就解說《金剛經》。

一個見性悟道之禪者，有如「竹杖、芒鞋輕勝馬，遍遊天地不留形。」什麼地方他都能去，什麼地方他都了知；無事的時候就寂靜，有事的時候就相應；能放光、能出應，無事則都攝六根，寂靜自滅；是清淨性，是寂滅性，是解脫性，也是大自在性；能生萬法，能具足一切。

「若自悟者，不假外求。若一向執謂：『須他善知識望得解脫』者，無有是處。何以故？自心內有知識自悟。若起邪迷，妄念顛倒，外善知識雖有教授，救不可得。若起正真般若觀照，一剎那間妄念俱滅；若識自性，一悟即至佛地。」若當下念念自悟，即至佛地，不要落入過去心、現在心、未來心去了。

「善知識！智慧觀照，內外明徹，識自本心。若識本心，即本解脫。」如果識得本心，就是本來解脫，所以說「菩提自性，本自清淨；但用此心，直了成佛」。它在時間上是「本」解脫，不是說因這樣「才證」解脫，「證」解脫是二法，還有「解脫」可「證」，而《六祖壇經》講的是不二法門，是「本」解脫的法門。

「若得解脫，即是般若三昧，即是無念。何名無念？若見一切法心不染者，是為無念。」那麼能見一切法的時候，能不能了知一切法？

當然可以！了知而不染者——無念。無念不是像呆子一樣不能分別，也不是沒有念頭。

以下是一行三昧的大用：「用即遍一切處，亦不著一切處。但淨本心，使六識出六門，於六塵中，無染無雜，來去自由，通用無滯，即是般若三昧，自在解脫，名無念行。」所以禪宗常講：「有無位真人在汝六門中出入。」「無位真人」是什麼？指的就是這個。但是一講「無位真人」，一般人就執著無位真人。執著有「一個無位真人」，就像執著於「無住」，或是執著「住於一個無住」。如果執著一定要無住，那麼便無法自在起用，是黏滯的。在修行的前方便裏，如果我們無法一下子「應無所住而生其心」，那麼可從「生其心時應無所住」做起。但是在這裏如果太執著無住，就無法自然無住，無住生心。

無住生心，並非要大家守著一「無住心」。無住心不可守；本來無住，如何守？守無住心就像守「本來無一物」，如何守呢？所以「若百物不思，當令念絕，即是法縛，即名邊見。」這句話正說明一般人對「無念」的誤解。

《六祖壇經》是頓教法門，是無二法門，是無念法門，是般若法門，是一行三昧法門，是講清淨自性，是講定、慧一如，戒、慧一如，是講自性大用。什麼是自性大用？若了悟無念法門，則萬法盡通；若了悟無念法門，則見諸佛境界；若了悟無念法門，則到達佛果位。所以說：「悟無念法者，萬法盡通；悟無念法者，見諸佛境界；悟無念法者，至佛地位。」但得本，何愁末呢？

以上是六祖大師所講「頓教」法門。體悟了頓教法門之後，不二、無念、般若、一行三昧就隨時隨地相應作用，即至佛境界，這就是體悟了《金剛經》

裏「無住生心」的大妙用境界。

三《六祖壇經》的修法與行法

1.定慧等持

六祖的不二法門是以「定、慧」為本，他告訴大家，不要迷信以為定、慧有別，其實定、慧一體，不是二，「定是慧體，慧是定用」，這在修行上很重要。我們在修行的過程要觀照到這不二法門，等到修行成就的時候，它本來就是不二法門，本來就解脫，本來是佛，何庸有別佛？在見地上，以清淨自性為根本；在修行上，以無念、般若、一行三昧為根本；在果地上，以自性大用，定、慧無別，本來是佛為根本。

「定是慧體，慧是定用」這裏所言之「定、慧」與一般所說的「戒、定、慧」三學的定慧有點不一樣，這是定、慧一如，定中有慧、慧中有定。「即慧之時定在慧，即定之時慧在定」，寓定於慧，寓慧於定，「若識此義，即是定、慧等學」，即是定、慧等持的意思。禪的開悟，不是先讓行者習定，而是開悟的時候，悟境就是定，定在慧中；悟境生起時，心即是定，慧即是定。

「莫言：先定發慧，先慧發定」這就是六祖所一貫主張的「清淨自性」、「不二之法」，佛性「非斷非常」、「定、慧不二」。

「定慧不二」可以用一個比喻來說明：「善知識！定、慧猶如何等？猶如燈光。有燈即光，無燈即暗；燈是光之體，光是燈之用；名雖有二，體本同一。此定慧法，亦復如是。」以定、慧等持彰顯其作用於一行三昧中。

2. 念念不為念念所縛——一行三昧

什麼是一行三昧？「於一切處行住坐臥，常行一直心是也。」一直心就是清淨體性，大家不要錯解了。直心是具足慈悲喜捨，具足一切萬法，由此起用的是直心。

那麼生氣的時候，直接爆發出來是不是直心呢？這是情緒，是貪瞋痴，真正的直心是具足慈悲智慧的。佛陀罵人時頂多罵到「愚人」、「痴人」，這已經是最嚴厲的了，絕不會如一般人爆發之後就不可收拾。

「一行三昧者，於一切處行住坐臥，常行一直心是也。《淨名經》云：『

直心是道場，直心是淨土。』莫心行諂曲，口但說直；口說一行三昧，不行直心。」直心，是一起心動念就是直的，沒有貪瞋痴的，不是經過一番調整才是直的。

如果沒有辦法「無所住而生其心」，那麼可以退而求其次，「生其心時無所住」，這不是叫我們罵了人就跑，或故意把它忘記，而是即使發現自己的瞋恨心起來了，也不要執著。

生氣時如何不執著呢？生氣時知道自己在生氣，並且不要讓生氣再延續下去。如果繼續生氣，也不要誤認為「生氣」是一種不變的實體。這種錯認「生氣是會不斷延續、相續」的想法，就是使我們一直生氣下去的主要原因。

我們可以清楚地了知生氣的原因，卻不被其所動。只有了知而不為所動時，心是很平和的，表現在身相上，就是筋骨非常柔軟，而不是生氣時的全身僵硬、血脈上衝。

「但行直心，於一切法勿有執著。」這句很重要。有些人錯解直心的意義，自以為很直心地指出這裡不對那裡不對，到最後竟責備他人：「我說不對，你怎麼不聽？」這就是執著了。

「迷人著法相，執一行三昧，直言：『常坐不動，妄不起心，即是一行三昧。』作此解者，即同無情，卻是障道因緣。」妄不起心，就像石頭一樣常坐不動，那與草木無情有何差別？

3. 無所住而生其心——無念、無相、無住

六祖對法的大用體會深刻，要體會六祖的法，須從大用上來看。「道須通流，何以却滯？心不住法，道即通流。心若住法，名為自縛。若言：常坐不動是，只如舍利弗宴坐林中，卻被維摩詰訶。」無論六祖橫說、豎說，總是要教人「自識本心，自見本性。」故說：「善知識！我此法門，從上以來，先立無念為宗，無相為體，無住為本。」什麼是「無念」？「於念而無念」，念頭不要被念頭所執著，也不要用念頭去執著念頭，念念在當下，不是在現在，也不是在過去，也不是在未來，念念起徧又不為念念所縛，就是無住生心。

無相──「於相而離相」，能通達一切相，但不執著一切相。無住──「人之本性」，不僅是人之本性，也是法之體性，法本無住。所以「菩提本無樹，明鏡亦非臺；本來無一物，何處惹塵埃？」

我們只要掌握這三個原則：「無念為宗，無相為體，無住為本」，「於世間善惡好醜，乃至冤之與親，言語觸刺欺爭之時，並將為空，不思酬害。念念之中，不思前境。若前念、今念、後念，念念相續不斷，名為繫縛。於諸法上，念念不住，即無縛也。此是以無住為本。」過去心不可得，現在心不可得，未來心不可得，心何也？就是念。念念不住，這就是《金剛經》裏三心不可得的本質，就是無住而生心。

「外離一切相，名為無相。能離於相，即法體清淨。」無相不是沒有相，而是法體清淨。「法體清淨」就是不執著，離於一切相。

於所有境，心不染著，叫做無念，亦即「於諸境上，心不染，曰：無念。

於自念上，常離諸境，不於境上生心。若只百物不思，念盡除却，一念絕即死，別處受生，是為大錯。」一念絕即死，是指有些人於彈指間，念頭一斷就死了，這裏是講很徹底的念頭斷。但是這樣子仍在生死輪迴，不是無念。

以上是說明：心念上以無念為宗，念念不為念念所縛；心不住於相，能離於相，則法體清淨，於相上是無相；對過、現、未三心都無住。這三者若能掌握，於一切中就是定、慧等持，行一行三昧。

「無者，無何事？念者，念何物？無者，無二相；無諸塵勞之心。念者，念真如本性。」念真如本性不是要念「一個真如本性」，而是直顯真如本性。「真如即是念之體，念即是真如之用」，所以說是自性之用。由真如自性起念，念念即是真如，乃無住生心的本質。是故，六根雖有見聞覺知，然不染外境，如大圓鏡，能照一切。這是從體上的功夫而來，不是像「身是菩提樹，心如明鏡臺；時時勤拂拭，勿使惹塵埃」那樣是從外而來的。所以，六根雖有見聞覺知，不染外境，則真性常自在；真性常自在，則遍一切，小則退藏於芥子，大而彌諸六和，動用自在。能出應、能發光、能徧達一切處、能寂滅。其大作用——「能善分別諸法相」，其大境界——「於第一義而不動」；這正是無二的體性！

4.本無修證之坐禪

修持六祖的法門，了解了一行三昧的自性大用之後，也就了解坐禪的心。坐禪，在六祖大師而言，是從心上起功用，而非從相上作用。從相上作用，就是舍利弗樹下宴坐，為維摩詰所訶。

師示衆云：「此門坐禪，元不著心，亦不著淨，亦不是不動。若言著心，心元是妄，知心如幻，故無所著也。若言著淨，人性本淨，由妄念故，蓋覆真如；但無妄想，性自清淨。起心著淨卻生淨妄，妄無處所，著者是妄。淨無形相，卻立淨相，言是功夫，作此見者，障自本性，卻被淨縛。善知識！若修不動者，但見一切人時，不見人之是非、善惡、過患，即是自性不動。善知識！迷人身雖不動，開口便說他人是非、長短、好惡，與道違背。若著心著淨，即障道也。」

真實的坐禪是如何？「此法門中，無障無礙，外於一切善惡境界，心念不起，名為坐；內見自性不動，名為禪。」所以坐禪法門，是定、慧等持的法門，純粹從心起用的法門，是不執著的法門。坐禪不是「修禪」，是不二，「修禪」是有修有證，「坐禪」是本無修證；「修禪」是由修而解脫，「坐禪」是本來解脫。

「外於一切善惡境界，心念不起，名為坐。」心念不起，並不是不知，而是完全照見，如大圓鏡能映照一切。這也就是宏智正覺《坐禪箴》所說：「不觸事而知，不對緣而照。不觸事而知，其知自微；不對緣而照，其照自妙。」

「人性本淨，由妄念故，蓋覆真如；但無妄想，心自清淨。起心著淨，卻生淨妄。」執著清淨卻生出清淨的虛妄，妄是沒有處所、沒有方所、沒有個東西；什麼是妄呢？執著的，就是妄。淨沒有形相，卻偏要建立個淨的形相，說道：「這是工夫」，作此見者，是障自本性，卻被淨縛。這就像《楞嚴經》中講的「覺中必明，妄為明覺」，所以「由明覺故，妄立能所」。

想建立，是妄；不想建立，也是妄，執著建立是妄，不執著建立也是妄。就是這樣子。但不是執著「就是這樣子」。所以，「外於一切善惡境界，心念不起，名為坐；內見自性不動，名為禪」。

什麼是禪定？「外離相為禪，內不亂為定。外若著相，內心即亂；外若離相，心即不亂。」這是要從體性中來看。「本性自淨自定，只為見境思境即亂。若見諸境心不亂者，是真定也。」所以，定不用修，外離一切境；何謂「外離一切境」？不是要建立一個「外離一切境」，而是真的「外離一切境」，即是真定。

「外離相即禪，內不亂即定。外禪內定，是為禪定。《菩薩戒經》云：『

我本元自性清淨。』善知識！於念念中，自見本性清淨，自修、自行，自成佛道。」這就是《六祖壇經》的修行妙法。

5. 不受第二枝箭——實相懺悔

《六祖壇經》說「定、慧等持」、「定、慧一體」，所以戒、定、慧是一如的，懺悔也是一如，所以懺悔是無相的，六祖用「五分法身香」作為無相的懺悔，從念念無住中來懺悔。「懺」是使過去前愆永不復起，「悔」是不使後過生起。《六祖壇經》從自性中來起用。又，三皈、五戒，也是向自三皈、五戒；四弘誓願，也是向自身發四弘誓願。

懺悔和所謂的「罪惡感」不同，懺悔也不是「後悔」。

罪惡感是受第二枝箭。因後悔而產生罪惡之感，就變成情緒了，不是此處所說的懺悔。

「若欲懺悔者，端坐念實相。」這就說得更清楚了。

我們後悔做過了某些行為，這個後悔的心與做過了這行為的心，還是相連的輪迴心，與解脫無關，與本解脫更無關，它只是用外在的方法，消融掉一部分的障礙而已。

真實的懺悔是從心懺，心住實相，離於諸相；所以真實的懺悔是無相的懺悔。懺悔之後，心離前愆，此時一念照的時候，不會起情緒作用，而是自然自斷，因為自性本來清淨；往後因為清淨自性的現起，安住於實相，就不會落在相對的二法當中。

「從前、念今念及後念，念念不被愚迷染；從前所有惡業愚迷等罪，悉皆懺悔，願一時銷滅，永不復起。」念念不被愚迷染，就不會有情緒的動搖。「從前念、今念及後念，念念不被憍誑染。從前所有惡業憍誑等罪，悉皆懺悔，願一時銷滅，永不復起。弟子等，從前念、今念及後念，念念不被嫉妬染；從前所有惡祭嫉妬等罪，悉皆懺悔，願一時銷滅，永不復起。」所有的懺悔都滙歸到「三心不可得」、滙歸到「無念」、滙歸到「無入」、滙歸到「無相」、滙歸到「清淨自性」、滙歸到「實相」。

「念念不被愚迷染」的意思就是：「菩提本無樹，明鏡亦非臺；本來無一物，何處惹塵埃？」本來無一物，是念念；何處惹塵埃，塵埃即是愚迷。它只不過變成了「愚迷」、「憍誑」、「嫉妬」這些不同的名相而已，意思是一樣的！這是「慧、懺一如」。智慧了知，證得無相；了悟無相，而能懺悔，也無可染。

所以說，本來就是清淨的，並不是悟了以後才是清淨。本來清淨，不被染

無相懺悔的無相，是不是觀罪業是無相，本性是空性呢？不是的。本性是本自清淨，罪性本空，無相可得。不必是「觀」，而是現前無相可得，現前罪性本空，所以名為無相。

實相懺悔，不是用「觀」的。而是念念自淨其心，自修自行；見自己法身，見自師於佛，自度自戒，使得不假導師。

六祖的「三皈依」是什麼呢？「自皈依佛，不言皈依他佛」，這是從體性中來看的皈依，皈依自性三寶。「歸依覺，兩足尊；歸依正，離欲尊；歸依淨

，衆中尊。」這是自性皈依。而四弘誓願也是由自性發起：「自心衆生無邊誓願度，自心煩惱無邊誓願斷，自性法門無盡誓願學，自性無上佛道誓願成。」一切眾生心外諸法，均是由自心中清淨，內外相應，如如一體也。

從體悟自性當中、從自性本清淨當中，銷融一切萬法，而從中間建立三皈、五分法身、四弘誓願、三身佛等，就是六祖大師殊勝之處。

㈣《六祖壇經》的果德

從「生心無住」到「無住生心」

在《六祖壇經》裏，無念、般若、一行三昧都是重要的法門。

什麼是無念？無念不是沒有念頭，而是每一個念頭都是無住的，才是真正的無念。所以「無住生心」就是「無念」。在六祖來講，若斷絕念頭，是槁木死灰的境界，是纏縛的境界。

有人以臥輪的偈去請教六祖：「臥輪有伎倆，能斷百思想；對境心不起，菩提日月長。」一般人以為這境界很高，但在六祖看來這根本是妄，是不真實的境界，是以石壓草；這是讓我們無法解脫，而且還更加纏縛的法門。

六祖在處理這些問題的時候，他有時告訴我們這是虛妄的，有些時候則是直接打掉我們的境界。比如他對印宗說「不論禪定、解脫」，是因為禪定、解脫是二法，並非說禪定、解脫不行，而是要打破行者追逐禪定、解脫的這個心，其實自性本來具定。

另外臥輪的偈，確實會使人掉入纏縛的境界，這首偈所說的「對境心不起」，很明顯是教大家進入無想定，以石壓草，對解脫根本無益。所以六祖回答他：「惠能沒伎倆，不斷百思想；對境心數起，菩提作麼長。」

在這裏六祖惠能很善用說法，用大家所提的境，直接在境上打破，並不立一個東西讓人依歸，而是看這個機緣來對破，讓人在這機緣上直接破掉，進入悟境，這是其教學上特殊之處。

禪宗在教學上是很特殊的，它的教學方式活潑，能隨時隨地與學生相應而運作。禪者不是靠經典或偈頌來成就的，他是真正看破其自性，真正由自性起用，所能開悟佛性。

六祖說：「惠能沒伎倆，不斷百思想。」與臥輪之技倆相對。為什麼呢？

思想根本是虛妄，妄想本是無生，何必去破它？「對境心數起，菩提作麼長。」一切現前菩提，不論心起、心不起，端看心起時是否會為它所執。如果被心起所執，便是妄；如果不被心起所執，就是無住生心，就是無念。念念不為念所縛，就是「過去心不可得，現在心不可得，未來心不可得」，這就叫無念法門。若具足了無念法門，就是具足了般若，就是具足般若三昧，若在行、住、坐、臥間具足般若三昧，隨時隨地無念，就是具足一行三昧。整個《六祖壇經》就是以這個見地來看的。

惠能大師的「不斷百思想」與凡夫的「不斷百思想」差別在那裏呢？是在「無住」，差別在六祖不執著。因為他是「菩提本無樹，明鏡亦非臺；本來無一物，何處惹塵埃？」凡夫「對境心數起」時，執著這個心，而心造作使妄念數起。惠能大師是「菩提自性，本來清淨」，是「本來無一物」，故而心起、心滅，就如同空中幻化。

凡夫最可悲的，就是看到空中的第二個月亮，或是在白天見到到處是星星，以為星星是真、第二月是真，這叫執迷愚妄。一個悟者知道，只要眼翳病過去了，真境就現起了。所以心起不起，根本與清淨的自性無關。因緣的若起、若滅，就是空華佛事。淨土是真？是假？其實淨土是如幻。再怎麼樣莊嚴、清淨、無量的淨土，不過是心的幻化而已。對一個禪者而言，清淨的世界和染污的世界到底有何差別？一個破屋、一條小徑，它可以是極樂世界；任何一張椅子，就是他的金剛寶座。

禪者在佛殿裏吐痰，知客師連忙過來告訴他，這是清淨之地，怎可吐痰？

他很驚訝便問知客師：「請問師父，哪個地方不清淨？」禪者的境界，推到最後，乃是不可思議的實相境界，遍一切即是，連「佛」也不用立了，因為根本沒有「佛」與「眾生」的差別，一切現前即是。

煩惱生起時，我們要處理的不是煩惱，煩惱沒有什麼好處理的；要處理的是，「不要執著煩惱」！無住於煩惱，煩惱沒有了根，怎能活下去呢？「菩提本無樹，明鏡亦非臺；本來無一物，何處惹塵埃？」本來寂靜，則一切現前，這才是不二之法；這不是常斷之法，離於常斷，離於生滅、離於一切之法。

四、《六祖壇經》的日常恆住修法

——《六祖壇經》生活禪法

修習《六祖壇經》的行者，在日常生活中應當依止《六祖壇經》，生活要以本經的見、修、行、果為中心，不斷地了悟經中的心要，務使自身融入經典。我們現生於世間，以此世間為本經之示現；自己就在這世間中，以六祖的正見為見地，以六祖的修持為修持，以六祖之勝行為己行，並圓滿證悟六祖惠能菩薩。在修習日常恆修的本經法門時，應當具足下列的原則：

㈠方便前行

1.皈敬三寶，一心不退。

2.堅住佛法，並隨力了悟諸行無常、諸法無我、涅槃寂靜等三法印，常聽聞、思惟佛法，以八正道、六波羅蜜為生活重心。

3.大悲發願，於菩提心永不退轉。

4.現前觀空，了悟一切法界、境界如幻。

5.大悲發心，永遠不捨眾生。

6.視一切眾生如父、如母。

經。

(二)正行

1.常書寫、供養、布施、諦聽、閱讀、受持、廣說、諷誦、思惟、修習此

2.安住法界體性自性大悲當中，以大悲心善觀一切。

3.了知一切性空如幻，六祖惠能與我等皆同住於法界體性大悲之中，如水注水，如空入空，自身的身、語、意三業，色、受、想、行、識五蘊，眼、耳、鼻、舌、身、意六根體性，皆與惠能菩薩一如無二；所以能依念佛三昧，在六祖的加持下，成就其妙行。

4.清晨醒來，是從法界體性、自性大悲中醒覺，身、語、意即如六祖惠能

，並依此行道人間。夜間入睡時，即安住於法界體性大悲光明之中；如果夢起，即在夢幻中行諸佛事業。

5.一切歷緣對境，都能與惠能菩薩一如。經歷行、住（立）、坐、臥、作（所作）、語等一切緣時，都能以《六祖壇經》法行持。面對六種塵境：色、聲、香、味、觸、法所生的見、聞、嗅、味、身觸、意等六種覺受，都不離《六祖壇經》中所示妙法。

6.常住於本經的修持法，並對其中的見、修、行、果深刻了悟，歷緣對事，以六祖惠能菩薩的觀點來實踐。在日常生活中，行者可持一方便隨身的卡片，一面寫上六祖惠能菩薩聖號，另一面則寫本經的見、修、行、果頌。如此，面對生活中無法解決之問題時，可持這張卡片思惟：「六祖惠能菩薩遇到這種情形會怎麼處理？」而背面的見、修、行、果頌，則可幫助我們日常亦能恆修本法門。

7.依本經正見修持，並依此修持力行，依力行證果，最後圓證六祖惠能菩薩之果德。

8.會歸

吾等作意以觀佛　甚深如幻心作佛
六祖無心不可得　行住坐臥任圓成

五、《六祖壇經》修持法軌

(一)皈命

南無六祖惠能菩薩
南無六祖法寶壇經
南無禪門歷代祖師菩薩

(二)祈請

菩薩自性自清淨　隨用此心現成佛
一行無念慧智生　生了圓覺會空明
皈命正智大覺經　法寶壇施了無心

㈢發心

1. 四弘誓願

眾生無邊誓願度
煩惱無盡誓願斷
法門無量誓願學
佛道無上誓願成

2. 皈依發心

佛、法及僧諸聖眾　直至菩提永皈依
清淨施等我誓作　為利有情成佛道

3. 四無量心

願諸眾生具足樂與樂因
願諸眾生脫離苦及苦因
願諸眾生常住無苦安樂
願諸眾生捨分別證平等

4. 修法發心

願見六祖真實心　願修六祖真實法

願行六祖真實道　　願證六祖果地圓

(四)懺悔

往昔所造諸惡業　　皆由無始貪瞋痴
從身語意之所生　　一切我今皆懺悔
往昔所造諸惡業　　皆由無始貪瞋痴
從身語意之所生　　六祖現前賜清淨
往昔所造諸惡業　　皆由無始貪瞋痴
從身語意之所生　　六根清淨念實相

㈤供養

供養常住佛法僧　現前六祖勝三寶

能供所供本無生　無滅福慧願如尊

花、香、水、燈、果及無量珍寶，隨意演現供養空中常住及《六祖壇經》法三寶。

㈥誦經

如力誦持《六祖壇經》。

行者可依自身時間因緣如力誦經，可具足誦完一經，或少分如經中的某幾品。平時當常誦此經，若時間不足，在修法但稱念：

南無《六祖壇經》（七稱或二十一稱）

㈦普賢十大願王三昧明穗（亦名隨集功德輪）

法界體空全禮佛　讚嘆壇經不思議

身口意淨勤供養　懺悔業障住實相

功德廣大勝隨喜　祈請法輪如法位

世尊住世無量壽　願隨佛學無生滅

眾生隨順咸成佛　普皆迴向法住德

(八)觀空並安住如幻三昧

現空頓如幻　廣大悲心住
善巧樂修習　為眾願如尊

現觀法界頓空，以大悲故，以體性清淨如如故，生起如幻三昧，善巧修學本經妙法，圓滿本經妙果。

(九)正行現修

1.見　隨自己之修力生起本經之正見，現觀自身及法界頓空如幻，心具大悲視一切眾生，憶念思惟如下的本經正見頌，並安住頌中正見。

菩提自性本清淨　直用此心了成佛
大圓性頓無所住　生心無物無塵埃
最上乘法隨無念　定慧等持妙一行
無相為體圓本成　無念為宗大三昧
無住為本妙慧如　三學一心法爾覺
摩訶般若心中要　自性清淨果中圓
本不生滅自具足　性無動搖生萬法
識自本心現自性　自悟自解自圓成

2.修　隨力正觀自己之身、語、意，並使自身之三業隨順於六祖，正念思惟，現觀如下的本經修法頌，在本經與六祖的加持下，頓然成就六祖惠能菩薩，並修習一切壇經勝法。

大善知識示見性　摩訶般若心修證
自用智慧常觀照　若識自心成佛道
善知無念智慧觀　般若三昧本解脫
心無染著性無念　百物不思成法縛
坐禪不著心淨妄　心外諸境坐不著
內見自性禪不動　外離相禪內不亂
本性自定自清淨　定慧不二體用如
全定在慧全慧定　體用如如自金剛

3.行　在六祖的加持下，現生如六祖，並正念觀行本經之正行頌，成為六祖之化身，在世間依於本經的勝行，實踐六祖的大悲事業。

無相懺悔法身者　三心無迷歸無相
無念妙行會法界　平等妙德見性功
念念無滯常自性　一行三昧一直心
隨緣教化金剛行　自性弘願自圓成
通身手眼無所住　妙用生心大菩提

4.果　如水注水，如空證空，法界體性現前一如，六祖惠能菩薩遍入自己的身、語、意，使自身三業完全清淨，自己的身、語、意亦完全銷融於六祖惠能菩薩，平等平等，無二無二；自成六祖並圓滿安住於本經的果地，亦現如惠能菩薩一般教化眾生。

現觀本經果地頌：

三身自悟真皈依　自性三身現成佛
如如自性萬法現　現前清淨法身佛
念念圓明自見性　無二實性圓滿身
性本如空一念心　智慧自性化身佛
頓法圓妙佛同類　菩提清淨性宛然
法爾般若無念果　體相用如現成佛

㈩結歸、迴向

懺除一切諸修誤　前憶本誓自在足

金剛隨念顯莊嚴　法界體證一心成
修法諸功德　迴向於一切
同證體性佛　因果同無生

修持心得

修持心得

修持心得

修持心得

修持心得

修持心得

修持心得

修持心得

修持心得

●不動明王

佛教萬用手册

佛教徒的人生修行手册
現代人的事業生活指南

佛教萬用手册的特色

- 全國第一套爲增進人類心靈而設計的佛教萬用手册，能將我們的生活、事業、智慧、慈悲融合在佛法的修行之中。並使我們獲得生活、事業的圓滿成功，智慧、慈悲的無限增長。
- 佛教萬用手册是我們規劃生活、事業、智慧、修行，善巧應用時間的利器。我們透過佛教萬用手册，來增進生命的效益，功德與福份。
- 每一套佛教萬用手册，皆隨贈一本「蓮花之路—開創生命新境界」，教導您如何使用佛教萬用手册，來獲得眞正的幸福光明。
- 佛教萬用手册是最佳的清淨年度贈品，不僅送者具足功德、福報，而受者亦能獲得智慧、福德。實在是一份最貼心的吉祥禮品。

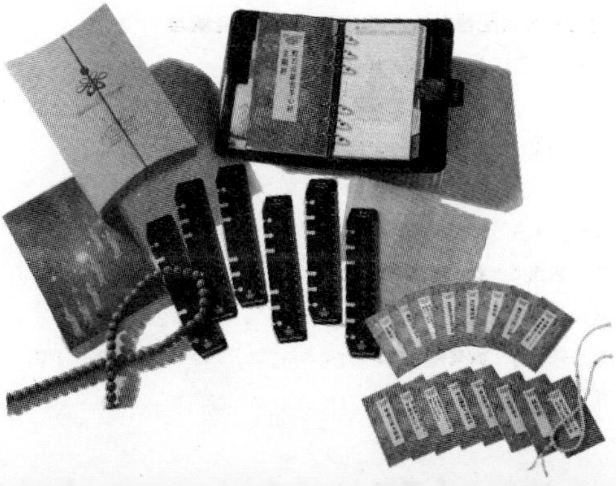

佛教萬用手冊產品目錄

手冊

為了護生，我們不用真皮的質料，但是為使產品精緻高雅，我們選擇高級的合成皮來製作。

A 631 HA-1001	普行本	1套	380元

(簡單大方)

A 631 SB-1002	精行本	1套	780元

(內、外層皆採仿真皮的手工製作方式，設計精巧)

A 631 SC-1003	莊嚴本	1套	1200元

(內、外層皆採仿真皮的手工製作方式，後層並附有拉鍊口袋：可放置念珠，亦可放置錢鈔，莊嚴精緻)

內頁

A 6 P-01 A	年計劃表	@ 1份/袋	20元
A 6 P-02	月計劃表	@20張/袋	20元
A 6 P-02 A	月計劃表(有日期)	@13張/袋	20元
A 6 P-03	週計劃表	@20張/袋	20元
A 6 P-04	日計劃表	@20張/袋	20元
A 6 P-05	財務表	@20張/袋	20元
A 6 P-06	心靈筆記	@20張/袋	20元
A 6 P-07	坐禪手記	@20張/袋	20元
A 6 P-08	念佛手記	@20張/袋	40元
A 6 P-09	修持計數表	@ 2份/袋	20元
A 6 P-10	佛語彩色隔頁紙(彩色六段膠膜)	@ 6入/袋	30元
A 6 P-11	通訊錄(十二段黑白膠膜A～Z)	@12張/袋	40元

隨身佛典

隨身佛典可配置在佛教萬用手冊內，隨身閱讀。

A 6-R 101	般若波羅蜜多心經 金剛經	45元
A 6-R 102	阿彌陀經（附往生咒） 佛說觀無量壽經	45元
A 6-R 103	佛說無量壽經	65元
A 6-R 104	藥師琉璃光如來本願功德經	35元
A 6-R 115	阿閦佛國經	65元
A 6-R 106	圓覺經	45元

A 6-R 107	般若波羅蜜多心經 觀世音菩薩普門品 四十二章經	45 元
A 6-R 108	般若波羅蜜多心經 大悲心陀羅尼經	45 元
A 6-R 109	地藏菩薩本願經	65 元
A 6-R 110	華嚴經普賢行品 華嚴經淨行品	45 元
A 6-R 111	觀普賢菩薩行法經	35 元
A 6-R 112	佛說彌勒大成佛經	45 元
A 6-R 113	佛說觀彌勒菩薩上生兜率天經 佛說彌勒下生經 彌勒菩薩所問本願經	55 元
A 6-R 114	六祖壇經	75 元
A 6-R 115	維摩詰所說經(出版中)	95 元
A 6-R 116	早晚課誦本(出版中)	

※其餘隨身佛典陸續出版中。

附件

A 6-SA 01	尺	@1 支(燙金佛號：南無阿彌陀佛)	20 元
A 6-SA 02	尺	@1 支(燙金佛號：南無本師釋迦牟尼佛)	20 元
A 6-SA 03	尺	@1 支(燙金聖號：南無大悲觀世音菩薩)	20 元
A 6-SA 04	尺	@1 支(燙金聖號：南無大智文殊菩薩)	20 元
A 6-SA 05	尺	@1 支(燙金聖號：南無大願地藏菩薩)	20 元
A 6-SA 06	尺	@1 支(燙金聖號：南無大行普賢菩薩)	20 元
A 6-SA 07	尺	@1 支(燙金經句：念佛、念法、念僧)	20 元
A 6-S 001	名片、信用卡袋		3入/袋 20 元
A 6-S 002	壓扣袋		2入/袋 20 元

一律掛號郵寄，請另附掛號郵資 60 元。

郵撥帳戶：18369144 萬行佛教萬用手冊有限公司

如何修持六祖壇經

著者——洪緣音居士
出版者——全佛文化出版社
永久信箱／台北郵政二六～三四一號信箱
電話／(〇二)七〇一一〇五七・七〇一〇九四五
郵撥帳號——一七六二六五五八　全佛文化出版社
定價——新台幣八〇元正
總經銷——書品文化事業有限公司
地址／台北縣中和市中正路七六〇號五樓
電話／(〇二)二二六五四三一
初版印行——一九九五年九月

國立中央圖書館出版品預行編目資料

如何修持六祖壇經／洪緣音著. --初版. --臺北市
：全佛文化出版；臺北縣中和市：書品總經銷，
1995［民84］
面； 公分
ISBN 957-99493-6-0（平裝）

1.佛教-信仰錄

225.8 84009179